O LIVRO DOS
APÓSTOLOS

Universo dos Livros Editora Ltda.
Avenida Ordem e Progresso, 157 – 8º andar – Conj. 803
CEP 01141-030 – Barra Funda – São Paulo/SP
Telefone/Fax: (11) 3392-3336
www.universodoslivros.com.br
e-mail: editor@universodoslivros.com.br
Siga-nos no Twitter: @univdoslivros

Volume 2

O LIVRO DOS
APÓSTOLOS

Judas Iscariotes
Pedro
João

São Paulo
2020

Grupo Editorial
UNIVERSO DOS LIVROS

© 2020 by Universo dos Livros

Todos os direitos reservados e protegidos pela Lei 9.610 de 19/02/1998.
Nenhuma parte deste livro, sem autorização prévia por escrito da editora, poderá ser reproduzida ou transmitida sejam quais forem os meios empregados: eletrônicos, mecânicos, fotográficos, gravação ou quaisquer outros.

Diretor editorial: **Luis Matos**
Gerente editorial: **Marcia Batista**
Assistentes editoriais: **Letícia Nakamura e Raquel F. Abranches**
Preparação: **Ricardo Franzin**
Revisão: **Guilherme Summa**
Arte: **Valdinei Gomes**
Capa: **Vitor Martins**
Imagem de capa: Leonardo da Vinci, *A Última Ceia*. Cópia do século XIX feita por um autor desconhecido no altar lateral na igreja Kostel Svatého Václava, em Praga. Shutterstock/Renata Sedmakova.

Dados Internacionais de Catalogação na Publicação (CIP)
Angélica Ilacqua CRB-8/7057

L761

O livro dos Apóstolos – volume 2 : Judas Iscariotes, Pedro, João / Universo dos livros. –– São Paulo : Universo dos Livros, 2020.
32 p. (O livro dos Apóstolos ; vol. 2)

Bibliografia
ISBN 978-65-5609-016-0

1. Apóstolos 2. Judas Iscariotes 3. Pedro, Apóstolo, Santo 4. João, Evangelista, Santo

20-4046   CDD 922.22

Introdução

Sejam todos muito bem-vindos a mais um volume desta coleção tão linda e significativa. Nela, contaremos a história de cada um dos Doze Apóstolos de Jesus. Existem muitos relatos de estudiosos da religião abordando os Apóstolos, mas não há muitos registros documentais que provem de fato tudo o que sabemos.

Como explicamos no primeiro volume, o número de Apóstolos escolhidos por Jesus tem um significado. Por que doze? Porque estão relacionados à história de Israel no Antigo Testamento. Jesus pensava na nova Israel, que, assim como a antiga, tinha doze tribos e doze patriarcas, o que O fez decidir pelos novos doze apóstolos.

Para esclarecer a quem não tenha adquirido o primeiro volume, abordemos novamente a diferença entre discípulo e apóstolo.

Segundo o dicionário Aurélio, discípulo é "aquele que recebe ensino de alguém ou segue as ideias e doutrinas de outrem". Ou seja, o discípulo aprende algo com alguém. Já apóstolo, segundo o mesmo dicionário, define-se como: "1. Cada um dos 12 discípulos de Cristo. 2. Propagador de ideia ou doutrina". Ou seja, trata-se daquele que é enviado para ensinar algo.

Muitas pessoas são fascinadas pelas histórias desses homens escolhidos e conversas maravilhosas sobre o assunto são corriqueiras. Sempre alguém se identifica com um dos Apóstolos. E isso acontece por um motivo simples: todos os Apóstolos de Jesus eram pessoas comuns, assim como qualquer um de nós. Somente Ele os conhecia a fundo, com suas fraquezas ou suas virtudes. Assim, ao Mestre, não houve nenhuma dúvida quanto às suas escolhas. Ele procurava de fato pessoas comuns.

Então, se Jesus tinha a seu lado pessoas tão simples, algumas vezes sem estudo ou sem a própria educação familiar, por que nós não as pegamos como exemplo? Sejamos todos servos de Cristo em nossas bondades, virtudes e fraquezas.

Os Apóstolos serviram como mensageiros das palavras e ensinamentos de seu Mestre. Como verdadeiros discípulos, aprenderam primeiro a orar e a servir uns

INTRODUÇÃO

aos outros, para só depois passarem adiante Seus ensinamentos. Exatamente como muitos de nós.

Quem sabe se, ao ler um pouco mais sobre cada um desses discípulos, todos nós não podemos acreditar em nossa força para também levar nosso aprendizado?

No primeiro volume, falamos sobre Bartolomeu; Tiago, o Menor; e André. Neste, falaremos de Pedro, João e do mais famoso e desprezado: Judas Iscariotes, o traidor.

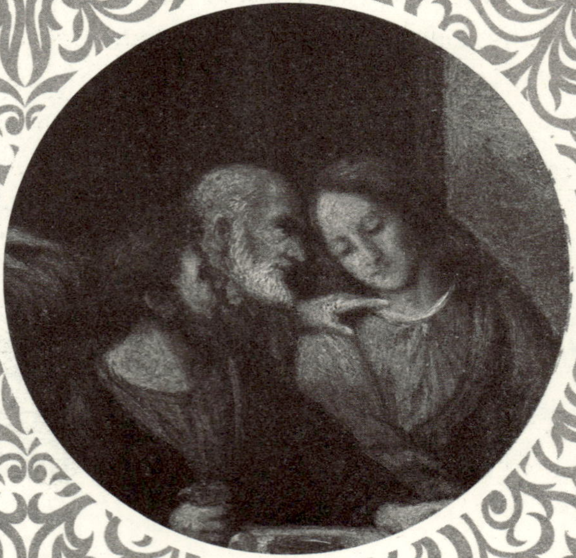

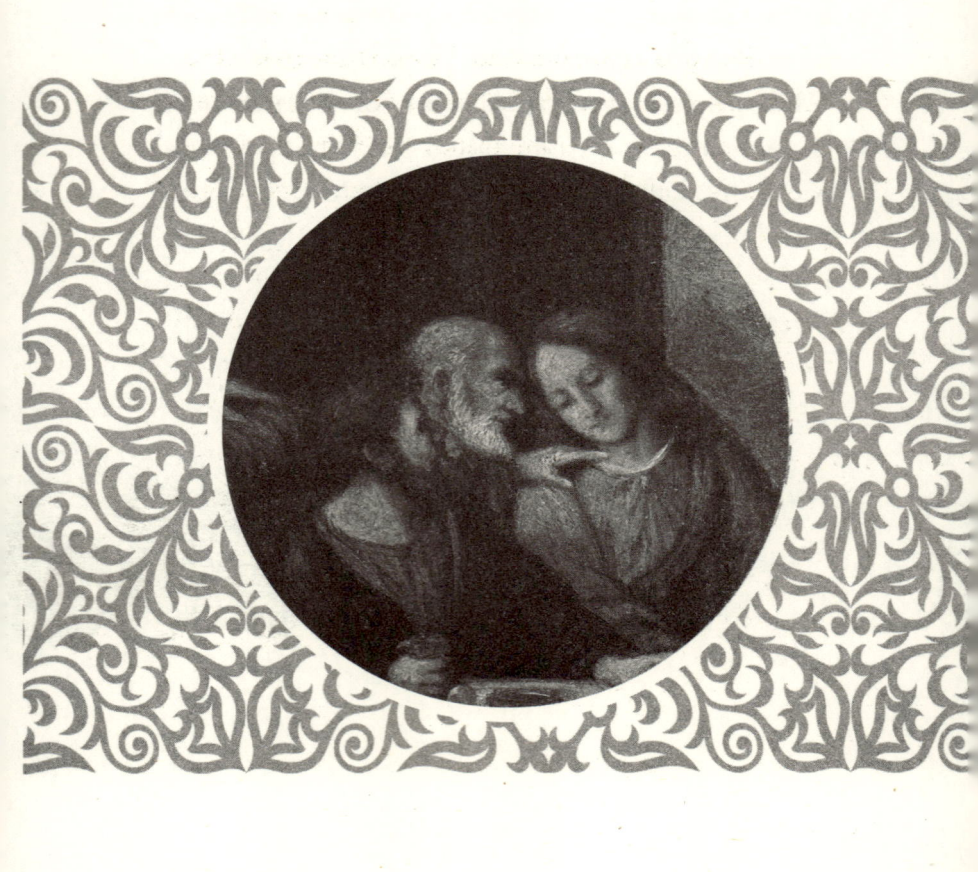

JUDAS ISCARIOTES

A história de Judas Iscariotes, como sabido pela maioria dos cristãos (e por muitos não cristãos também) ao redor do mundo, não é das mais auspiciosas.

Ele é lembrado por ter traído Jesus, por tê-Lo vendido aos soldados romanos por 30 moedas de prata e ainda por tê-Lo beijado, para que os guardas pudessem identificá-lo.

Vamos à sua história: segundo o Novo Testamento, Judas era o único entre os doze que não havia nascido na Galileia, e sim em Kerioth (ou Quiriote), na região da Judeia. Daí seu nome: Judas "homem de Quiriote". Era filho de um homem chamado Simão.

"Ele se referia a Judas, filho de Simão Iscariotes, porque era quem o havia de entregar, não obstante ser um dos Doze" (João 6:71).

Diferentemente dos outros onze Apóstolos, que, pelo que sabemos, eram amigos ou irmãos antes de encontrarem Jesus, Judas parecia solitário. Há estudos que dizem que Judas estava à procura de trabalho na secagem de peixe e foi escolhido por Natanael (ou São Bartolomeu, como vimos no primeiro volume) aos 30 anos de idade.

Em alguns estudos, podemos encontrar informações de que Judas era filho único de pais pouco cultos. Era tão paparicado que se tornou um menino mimado, que não aceitava ideias impostas por outros, inclusive seus amigos.

Hoje em dia, seria óbvio para nós que uma criança com esses traços se tornaria um mau perdedor, não é mesmo?

Muitas histórias giram em torno do seu nome, mas sabemos que, exatamente como os outros, Judas também passou a acompanhar Jesus integralmente. E é exatamente por isso que muitos não compreendem até hoje o motivo de sua traição.

Dizem que ele era provavelmente o mais inteligente e instruído dentre todos os Apóstolos. Era um bom pensador, mas não o mais sincero consigo mesmo. Não aceitava perder ou se sentir inferior a quem quer que fosse.

Talvez, se o tivesse analisado melhor, André não houvesse alçado Judas Iscariotes a tesoureiro do grupo. Mas ele exercia seu trabalho de forma tão primorosa que era amado pelos demais, que jamais desconfiariam da sua lealdade junto ao Mestre.

Ora, o que faria um homem se dedicar exclusivamente a alguém se não o carregasse inteiramente em seu coração? Sabemos que Judas escolheu Cristo, assim como os outros onze, mas todos eles foram primeiramente escolhidos também.

Já não vos chamo servos, porque o servo não sabe o que faz o seu senhor. Mas chamei-vos amigos, pois vos dei a conhecer tudo quanto ouvi de meu Pai.
Não fostes vós que me escolhestes, mas eu vos escolhi e vos constituí para que vades e produzais fruto, e o vosso fruto permaneça. Eu assim vos constituí, a fim de que tudo quanto pedirdes ao Pai em meu nome, ele vos conceda (João 15:15-16).

Certamente, Judas viu em Cristo poderes extraordinários, e sua atração ao Mestre foi motivada por desejos egoístas, avareza e ganância. E Cristo sabia disso tudo. Mesmo assim, não se deixou levar pelo julgamento de que aquele homem pudesse lhe fazer qualquer maldade. Jesus o escolhera para cumprir o plano, mesmo sabendo dos riscos que corria. Por quê? Porque Jesus queria dar a todos as mesmas chances de salvação.

Ele viu potencial em Judas e tentou de todas as maneiras salvá-lo.

Mas não foi o que aconteceu, pois Judas se sentia cada vez mais desiludido com Cristo. Assim como ele, alguns dos outros onze Apóstolos também criaram expectativas que não se restringiam à recompensa espiritual; assim como ele, também queriam um reconhecimento ou uma recompensa material. Isso gerava bastante desconforto e decepção. Jesus percebia todo esse descontentamento e previa corações cada vez mais "duros".

Algumas passagens relatam o apego de Judas por bens materiais, pelo dinheiro. Um dos exemplos mais marcantes ocorre logo depois da ressurreição de Lázaro. As irmãs Marta e Maria receberiam Jesus, amigo de seu irmão, para uma refeição.

> Seis dias antes da Páscoa, foi Jesus a Betânia, onde vivia Lázaro, que ele ressuscitara.
> Deram ali uma ceia em sua honra. Marta servia e Lázaro era um dos convivas.
> Tomando Maria uma libra de bálsamo de nardo puro, de grande preço, ungiu os pés de Jesus e enxugou-os com seus cabelos. A casa encheu-se do perfume do bálsamo.
> Mas Judas Iscariotes, um dos seus discípulos, aquele que o havia de trair, disse:

"Por que não se vendeu este bálsamo por trezentos denários e não se deu aos pobres?" Dizia isso não porque ele se interessasse pelos pobres, mas porque era ladrão e, tendo a bolsa, furtava o que nela lançavam. Jesus disse: "Deixai-a; ela guardou este perfume para o dia da minha sepultura. Pois sempre tereis convosco os pobres, mas a mim nem sempre me tereis." Uma grande multidão de judeus veio a saber que Jesus lá estava; e chegou, não somente por causa de Jesus, mas ainda para ver Lázaro, que ele ressuscitara (João 12:1-9).

Diante do ocorrido, fica clara a intenção de Judas Iscariotes. Ele não se preocupava de fato com os pobres, apesar de tentar influenciar seus colegas de sua indagação. Um dissimulado de marca maior. Porém, mais uma vez Jesus mostrou Sua bondade, não repreendendo o Apóstolo de forma cruel — criando, assim, mais um episódio de "raiva contida" em Judas. A partir daí, nada mais havia de espantar Jesus, que já esperava pelo pior.

Antes da festa da Páscoa, sabendo Jesus que chegara a sua hora de passar deste mundo ao Pai, como amasse os seus que estavam no mundo, até o extremo os amou. Durante a ceia — quando o demônio já tinha lançado no coração de Judas, filho de Simão Iscariotes, o propósito de traí-lo —,

sabendo Jesus que o Pai tudo lhe dera nas mãos, e que saíra de Deus e para Deus voltava,
levantou-se da mesa, depôs as suas vestes e, pegando duma toalha, cingiu-se com ela.
Em seguida, deitou água numa bacia e começou a lavar os pés dos discípulos e a enxugá-los com a toalha com que estava cingido.
Chegou a Simão Pedro. Mas Pedro lhe disse: "Senhor, queres lavar-me os pés!..."
Respondeu-lhe Jesus: "O que faço não compreendes agora, mas irás compreendê-lo em breve."
Disse-lhe Pedro: "Jamais me lavarás os pés!...". Respondeu-lhe Jesus: "Se eu não tos lavar, não terás parte comigo."
Exclamou então Simão Pedro: "Senhor, não somente os pés, mas também as mãos e a cabeça."
Disse-lhe Jesus: "Aquele que tomou banho não tem necessidade de lavar-se; está inteiramente puro. Ora, vós estais puros, mas nem todos!..."
Pois sabia quem o havia de trair; por isso, disse: "Nem todos estais puros."
Depois de lhes lavar os pés e tomar as suas vestes, sentou-se novamente à mesa e perguntou-lhes: "Sabeis o que vos fiz?
Vós me chamais Mestre e Senhor, e dizeis bem, porque eu o sou.
Logo, se eu, vosso Senhor e Mestre, vos lavei os pés, também vós deveis lavar-vos os pés uns dos outros.

Dei-vos o exemplo para que, como eu vos fiz, assim façais também vós.

Em verdade, em verdade vos digo: o servo não é maior do que o seu Senhor, nem o enviado é maior do que aquele que o enviou.

Se compreenderdes essas coisas, sereis felizes, sob condição de as praticardes.

Não digo isso de vós todos; conheço os que escolhi, mas é preciso que se cumpra essa palavra da Escritura: *Aquele que come o pão comigo levantou contra mim o seu calcanhar.*

Desde já vo-lo digo, antes que aconteça, para que, quando acontecer, creiais e reconheçais quem sou eu.

Em verdade, em verdade vos digo: quem recebe aquele que eu enviei recebe a mim; e quem me recebe recebe aquele que me enviou."

Dito isso, Jesus ficou perturbado em seu espírito e declarou abertamente: "Em verdade, em verdade vos digo: um de vós me há de trair!..." (João 13:1-21)

À Sua volta, todos os Apóstolos passaram a questionar suas próprias condutas. Até mesmo Iscariotes, no auge da sua falsidade, agiu com surpresa, perguntado se seria ele o traidor.

Jesus respondeu: "É aquele a quem eu der o pão embebido." Em seguida, molhou o pão e deu-o a Judas, filho de Simão Iscariotes.

Logo que ele o engoliu, Satanás entrou nele. Jesus disse-lhe, então: "O que queres fazer, faze-o depressa." Mas ninguém dos que estavam à mesa soube por que motivo lho dissera.
Pois, como Judas tinha a bolsa, pensavam alguns que Jesus lhe falava: "Compra aquilo de que temos necessidade para a festa." Ou: "Dá alguma coisa aos pobres." Tendo Judas recebido o bocado de pão, apressou-se em sair. E era noite... (João 13:26-30).

O que Jesus queria mesmo era que cada um se autoavaliasse. E é assim que sempre devemos agir, elevando nossos pensamentos ao Mestre. Temos de pedir perdão quando necessário, mas, principalmente, repensar gestos e atitudes.

Mas a pior parte da história ainda estava por vir. Judas conseguiu, enfim, uma oportunidade para entregar Jesus. Após retirar-se do cenáculo – local onde se realizara a Santa Ceia, no Monte Sião, fora das muralhas da Cidade Velha de Jerusalém –, foi direto para o Sinédrio (Tribunal dos antigos judeus em Jerusalém) e, de lá, orquestrou a entrega do Mestre.

Acompanhado e protegido por forte escolta de homens, encaminhou-se para o local onde Jesus sempre orava com os discípulos – o Getsêmani, um jardim situado no monte das Oliveiras, em Jerusalém – e agiu conforme planejado:

"O traidor combinara com eles este sinal: 'Aquele que eu beijar, é ele. Prendei-o!'" (Mateus 26:48).

"Jesus perguntou-lhe: 'Judas, com um beijo trais o Filho do Homem!'" (Lucas 22:48).

Como pôde o falso Apóstolo ser prepotente a esse ponto? Como pôde se vender por tão pouco (no caso, 30 moedas de prata)? Uma pessoa convive durante dois anos com outra, confiando-lhe as mais nobres tarefas, chamando-a de amigo, para depois ser traído por ganância?

Judas teve um final tão patético quanto as suas atitudes: ao ver Jesus condenado, atira as 30 moedas de prata para os sacerdotes e anciãos que o acompanhavam. Então, mostrando grande remorso, retira-se para enforcar-se.

> Os príncipes dos sacerdotes tomaram o dinheiro e disseram: "Não é permitido lançá-lo no tesouro sagrado, porque se trata de preço de sangue."
> Depois de haverem deliberado, compraram com aquela soma o campo do Oleiro, para que ali se fizesse um cemitério de estrangeiros.
> Essa é a razão por que aquele terreno é chamado, ainda hoje, "Campo de Sangue" (Mateus 27:6-8).

Pois bem, que sirva de lição a todos: deve-se fazer o bem sem que se espere recompensa; dar sem esperar receber, e sim pelo simples fato de amar.

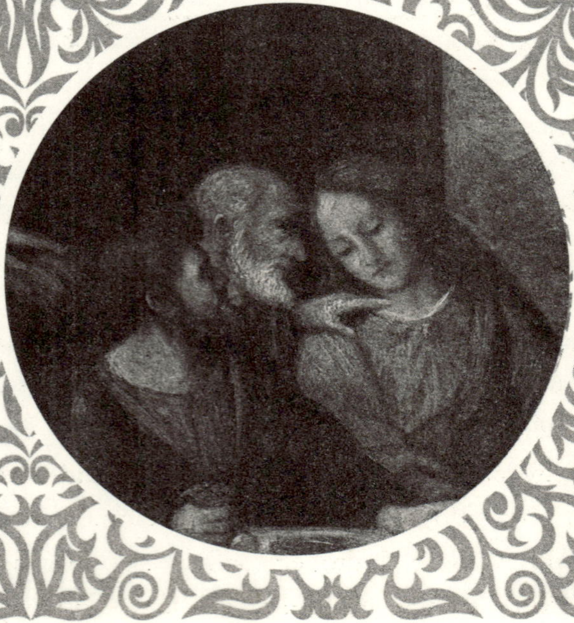

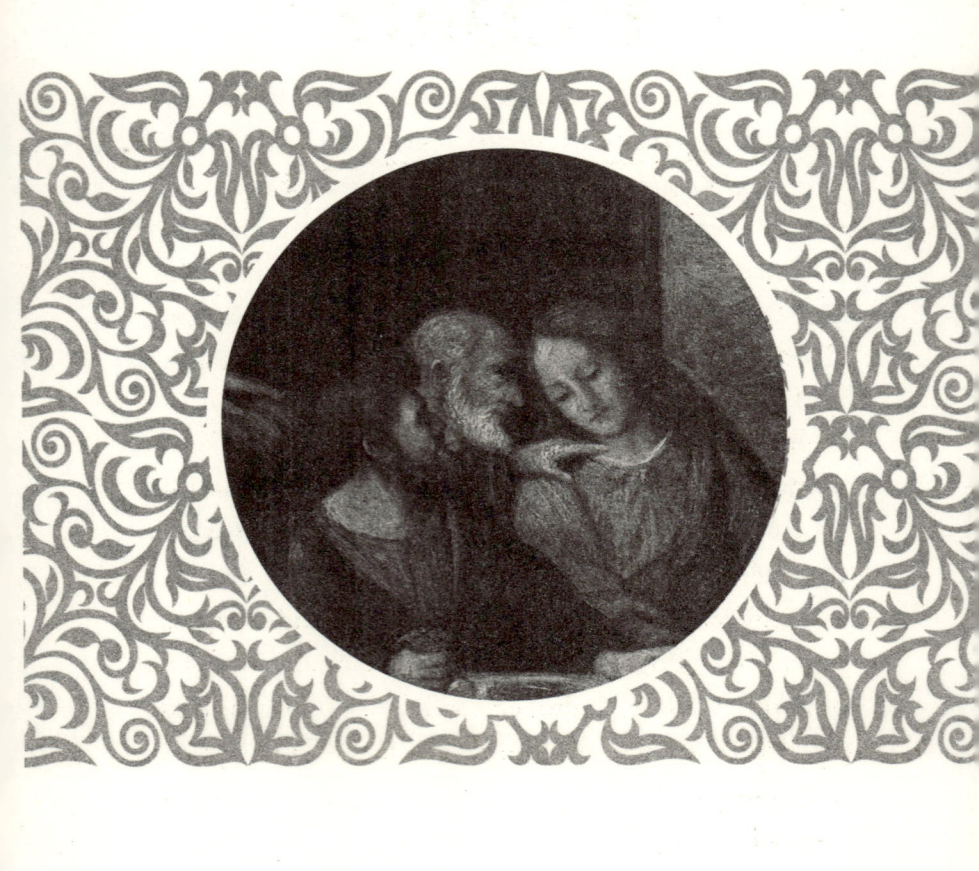

PEDRO

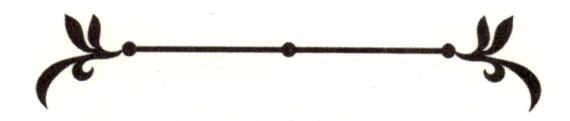

Conhecido na Bíblia como Simão ou Simão, filho de Jonas, Pedro ainda recebeu de Jesus o nome de Cefas, que significa "rocha", em referência ao seu temperamento, que não seria inconstante, mas firme como uma rocha. Pedro foi um dos primeiros Apóstolos escolhidos por Jesus e nas quatro listas bíblicas o seu nome é o primeiro a ser citado.

Pedro era casado e, segundo alguns estudiosos, sua sogra teria sido curada pelo Mestre. Como vimos no primeiro volume, Pedro era irmão de André, ambos pescadores nascidos em Betsaida. Foi seu irmão quem o apresentou a Jesus. Eles são conhecidos como os "pescadores de homens".

André, irmão de Simão Pedro, era um dos dois que tinham ouvido João e que o tinham seguido.

Foi ele então logo à procura de seu irmão e disse-lhe: "Achamos o Messias (que quer dizer o Cristo)."
Levou-o a Jesus, e Jesus, fixando nele o olhar, disse: "Tu és Simão, filho de João; serás chamado *Cefas* (que quer dizer pedra)."
No dia seguinte, tinha Jesus a intenção de dirigir-se à Galileia. Encontra Filipe e diz-lhe: "Segue-me." (João 1:40-43).

Pedro, Tiago e João eram muito próximos e andavam sempre juntos. Quem nunca escutou a canção infantil que fala sobre eles?

Pedro, Tiago, João no barquinho
Os três no barquinho
No mar da Galileia
Jogaram a rede
Mas não pegaram nada
Tentaram outra vez
E nada vezes nada

Pedro, Tiago, João no barquinho
No mar da Galileia

Jogaram a rede, mas não pegaram peixe
No mar da Galileia
Jesus mandou jogar do outro lado
No mar da Galileia

> Puxaram a rede cheia de peixinhos
> No mar da Galileia

A importância de Pedro entre os Apóstolos era grande, sendo ele um dos principais pilares da Igreja em Jerusalém. Podemos crer que era ele o líder do grupo dos Doze.

Era um excelente pregador do Evangelho e exercia seu papel com grande maestria, apesar do temperamento forte e impulsivo. Sabe-se que tinha o hábito de falar antes de pensar.

Quantas pessoas como Pedro não há hoje em dia, não é? Pessoas que são as primeiras a aceitar um desafio, mas que também são as primeiras a desistir.

Pois bem, quando Jesus sentia que ele precisava ser forte, chamava-o de Pedro (a rocha), mas quando via nele algum defeito ou ponto fraco, tratava-o por Simão. Por isso, encontramos em muitas passagens um ou outro nome referindo-se a ele.

Pedro tem participação ativa em diversos relatos. Foi ele um dos que organizaram a Última Ceia em Jerusalém, juntamente com João. Também foi bastante advertido por Cristo em algumas ocasiões. Teria inclusive se negado a deixar que Jesus lavasse seus pés, até entender de fato a importância do ato:

> Chegou a Simão Pedro. Mas Pedro lhe disse: "Senhor, queres lavar-me os pés!..."

Respondeu-lhe Jesus: "O que faço não compreendes agora, mas irá compreendê-lo em breve."
Disse-lhe Pedro: "Jamais me lavarás os pés!..." Respondeu-lhe Jesus: "Se eu não tos lavar, não terás parte comigo."
Exclamou então Simão Pedro: "Senhor, não somente os pés, mas também as mãos e a cabeça." (João 13:6-9).

Além disso, Jesus também teria lhe dito que, entre a Sua prisão e a crucificação, Pedro O negaria três vezes, antes que o galo cantasse três vezes.

Simão Pedro seguia Jesus, e mais outro discípulo. Este discípulo era conhecido do sumo sacerdote e entrou com Jesus no pátio da casa do sumo sacerdote, porém Pedro ficou de fora, à porta. Mas o outro discípulo (que era conhecido do sumo sacerdote) saiu e falou à porteira, e esta deixou Pedro entrar.
A porteira perguntou a Pedro: "Não és acaso também tu dos discípulos desse homem?" – "Não o sou" – respondeu ele (João 18:15-17).

Pedro chegou a mostrar a Jesus seu arrependimento com essas negações, empenhando-se sobremaneira a pregar o Evangelho no dia de Pentecostes (a descida do Espírito Santo aos Apóstolos, 50 dias depois da Páscoa).

Ao longo de seu ministério, grandes milagres e grandes curas aconteceram.

"Pedro, porém, disse: 'Não tenho nem ouro nem prata, mas o que tenho, eu te dou: em nome de Jesus Cristo Nazareno, levanta-te e anda!'". (Atos 3:6).

Detalhes sobre sua morte são escassos, mas sabe-se que ele continuou pregando ativamente até o fim da vida. Provavelmente tenha estado em Roma no período final de sua vida, mas não há indícios de que tenha sido ele o primeiro Bispo por lá.

Em alguns relatos, sugere-se que ele teria sido crucificado de cabeça para baixo por sua própria vontade (por não se considerar digno de morrer como Jesus), no ano 67 d.C.

Comemora-se sua data no dia 29 de junho.

ORAÇÃO A SÃO PEDRO

Glorioso São Pedro, creio que vós sois o fundamento da Igreja, o pastor universal de todos os fiéis, o detentor das chaves do céu, o verdadeiro vigário de Jesus Cristo; eu me glorio de ser vossa ovelha, vosso súdito e filho.

Uma graça vos peço com toda a minha alma: protegei-me sempre unido a vós e fazei com que antes me seja arrancado do peito meu coração do que o amor e a plena submissão que devo aos vossos sucessores, os Pontífices Romanos.

Viva e morra como filho vosso e filho da Santa Igreja Católica Apostólica Romana. Assim seja.

Ó Glorioso São Pedro, intercedei por nós que recorremos a vós.

ORAÇÃO DE SÃO PEDRO, SETE CHAVES DE FERRO

Glorioso Apóstolo São Pedro, com suas sete chaves de ferro abra as portas das minhas veredas, que se fecharam diante de mim, atrás de mim, à minha direita e à minha esquerda. Abra para mim as veredas da felicidade, as veredas financeiras, as veredas profissionais, com suas sete chaves de ferro, e me dê a graça de poder viver sem os obstáculos. Glorioso São Pedro, que sabes de todos os segredos do Céu e da Terra, ouve a minha prece e atende ao pedido que vos dirijo. Que assim seja.

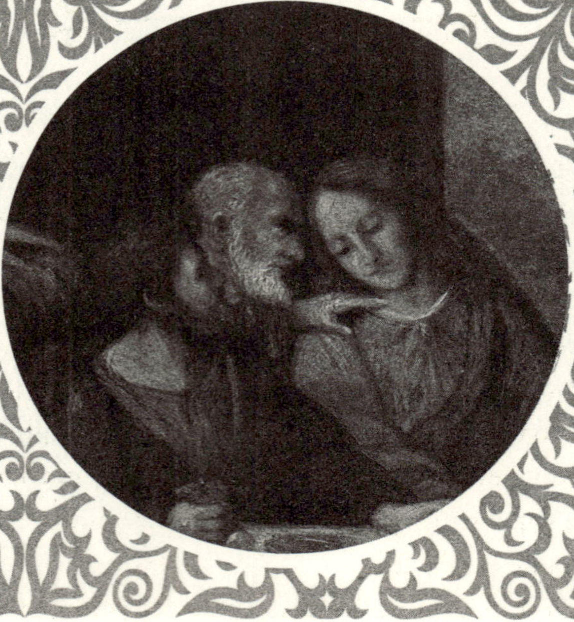

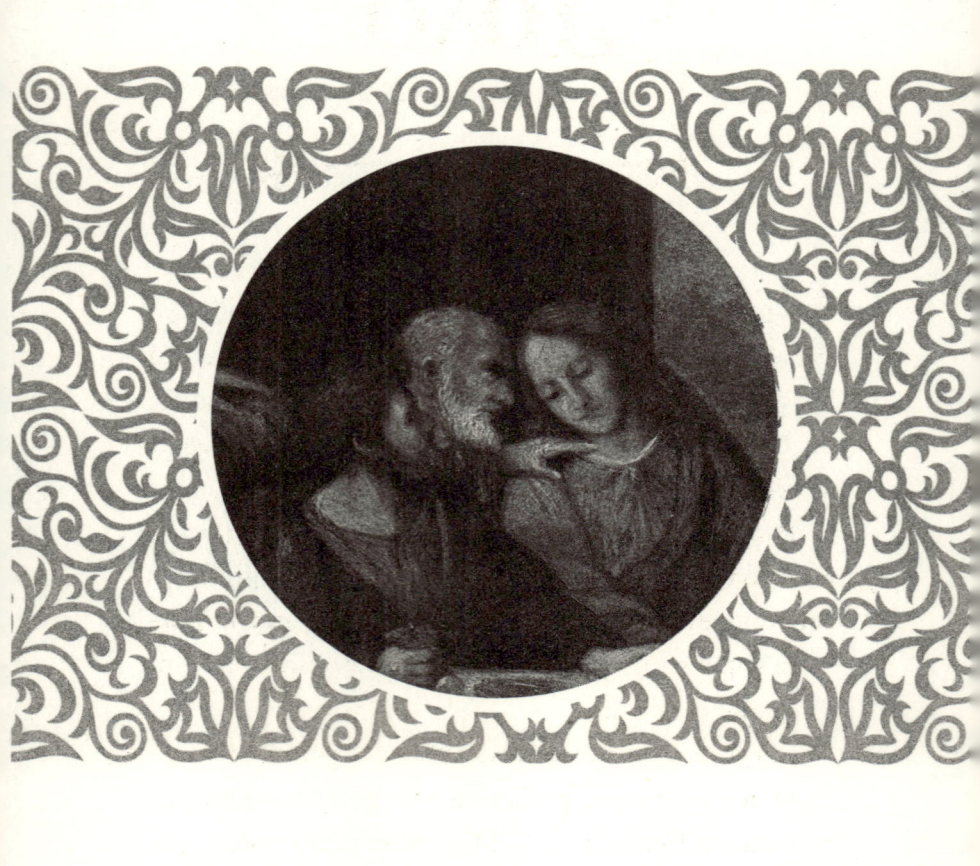

João

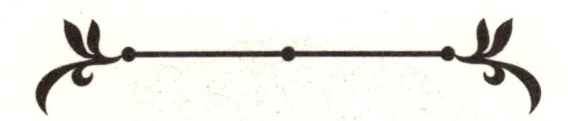

Um dos mais conhecidos entre os Doze Apóstolos de Jesus é João, ou São João Evangelista. São de sua autoria muitos dos escritos que encontramos no Novo Testamento (assim como várias das citações reproduzidas nesta coleção).

Por ter vivido mais do que os outros onze (dizem ter sido o único a não sofrer o martírio), teve que exercer funções de liderança e desempenhou um importante papel na igreja primitiva, que perdurou até o fim do primeiro século.

Era o mais jovem dos Apóstolos e irmão de Tiago (o Maior, sobre quem falaremos no próximo volume). Nasceu em Betsaida, na Galileia, filho de Zebedeu, que era pescador, e Maria Salomé, uma das mulheres que auxiliava os discípulos de Jesus.

João, Tiago, Pedro e André formavam o círculo de maior proximidade com o Mestre, mas era dele, João, o posto de "discípulo amado". Tinha por volta de 24 anos quando recebeu o chamado.

Em seus escritos, percebe-se um grande amadurecimento na fé. Além disso, transparece seu jeito quieto, porém, observador. Podemos dizer que essa evolução também ocorreu graças à verdade em que ele acreditava. Assim, aprendeu a equilibrar a "verdade e o amor". A palavra "verdade" repete-se algumas vezes em seus escritos:

"Muito me alegrei por ter achado entre teus filhos alguns que andam na verdade, conforme o mandamento que temos recebido do Pai" (2 João 1:4).

Mas a verdade para João ia muito além. Praticar a humildade era uma das mais caras lições que ele aprendera, tanto que nunca escreve seu nome para referir-se a si mesmo.

"Um dos discípulos, a quem Jesus amava, estava à mesa reclinado ao peito de Jesus" (João 13:23).

Mesmo ciente de que Jesus amava a todos, João percebia que o Mestre nutria uma admiração diferente por ele. Com isso, aprendeu também a equilibrar o "sofrimento e a glória", sabendo que aquele (isto é, o sofrimento) era o prelúdio desta (a glória).

João era de fato o Apóstolo do amor. Por ter acompanhado e estado sempre ao lado de seu Mestre, do começo ao fim, recebeu uma das mais importantes missões: cuidar de Maria, mãe de Jesus.

> Junto à cruz de Jesus estavam de pé sua mãe, a irmã de sua mãe, Maria, mulher de Cléofas, e Maria Madalena.
> Quando Jesus viu sua mãe e perto dela o discípulo que amava, disse à sua mãe: "Mulher, eis aí teu filho."
> Depois disse ao discípulo: "Eis aí tua mãe." E dessa hora em diante o discípulo a levou para a sua casa (João 19: 25-27).

E assim foi. Na história da igreja primitiva, é sabido que João nunca deixou de cuidar de Maria, até a sua morte.

Sabe-se também que o Apóstolo se dirigiu à Ásia Menor, onde provavelmente exerceu importante influência sobre a comunidade cristã de Éfeso. Lá, aos 94 anos, ele morreu de causas naturais, provavelmente em 98 d.C. Mesmo já debilitado, ouviu-se sair de sua boca:

> Filhinhos meus, por um pouco apenas ainda estou convosco. Vós me haveis de procurar, mas, como disse aos judeus, também vos digo agora a vós: para onde eu vou, vós não podeis ir.
> Dou-vos um novo mandamento: Amai-vos uns aos outros. Como eu vos tenho amado, assim também vós deveis amar-vos uns aos outros.

Nisso todos conhecerão que sois meus discípulos, se vos amardes uns aos outros (João 13:33-35).

Antes disso, porém, teria sido exilado em Patmos, ilha no leste do Mar Egeu, onde escreveu o Livro da Revelação do Apocalipse.

É de João também uma linda passagem para que nós não nos esqueçamos de quem somos filhos!

Considerai com que amor nos amou o Pai, para que sejamos chamados filhos de Deus. E nós o somos de fato. Por isso, o mundo não nos conhece, porque não o conheceu (1 João 3:1).

Sua data é comemorada em 27 de dezembro.

Oração a São João Evangelista

Pai Eterno, pela poderosa intercessão de São João, Apóstolo amado de Jesus, eu rogo pelas graças de que tanto preciso. Abro meu coração, agora e sempre, para ouvir a Vossa Voz e experimentar Vosso Poder em minha vida. Assim como São João, quero acolher a Palavra de Jesus e com amor levar as sementes do Vosso Reino por onde eu passar.

Amém!

BIBLIOGRAFIA

BÍBLIA SAGRADA. São Paulo: Ave-Maria, 2010. Edição Claretiana, revisada.

FERREIRA, A. B. H. *Minidicionário Aurélio*. Rio de Janeiro: Nova Fronteira, 1985.

MACARTHUR, J. *Doze homens extraordinariamente comuns*: como os apóstolos foram moldados para alcançar o sucesso em sua missão. Trad. Susana Klassen. 2. ed. Rio de Janeiro: Thomas Nelson Brasil, 2019.

Sites consultados:

EM DEFESA da Fé Católica. Disponível em: <emdefesadaigrejacatolica.webnode.com//>. Acesso em: 20 out. 2020.

ENCONTRO com Cristo. Disponível em: <encontrocomcristo.com.br/>. Acesso em: 20 out. 2020.

LAMARTINE Posella. Disponível em: <youtube.com/lamartineposella>. Acesso em: 20 out. 2020.

LETRAS. *Músicas infantis*: Pedro, Tiago, João no barquinho. Disponível em: <letras.com.br/musicas-infantis/pedro-tiago-joao-no-barquinho>. Acesso em: 20 out. 2020.

O LIVRO de Urântia. Disponível em: <bigbluebook.org/pt/139/1/>. Acesso em: 20 out. 2020.

RUMO da Fé. Disponível em: <rumodafe.com.br/>. Acesso em: 20 out. 2020.

VATICAN News. Disponível em: <vaticannews.va/pt/>. Acesso em: 20 out. 2020.

Durante sua jornada na Terra, o Filho de Deus escolheu doze homens para acompanhá-Lo, segui-Lo e testemunhar Seus feitos.

Nesta coleção, você conhecerá as principais características dos Apóstolos e o papel desempenhado por cada um deles desde o testemunho dos feitos de Jesus até a pregação dos ensinamentos cristãos após sua morte, além da oração dedicada a cada um deles.

Neste segundo volume, conheceremos a história de Judas Iscariotes – traidor do filho de Deus; Pedro – tido como o líder dos Apóstolos; e João – o "discípulo amado".

O LIVRO DOS APÓSTOLOS - VOL. 2
Fabricado no Brasil por: Universo dos Livros Editora LTDA
Via das Samambaias, 102 – CEP 06713-280
Jardim Colibri, Cotia / SP
CNPJ: 07.680.904/0002-35
Tamanho: 13,5 x 20,5 cm
Conteúdo: 01 LIVRO
Inclui: 01 LIVRO (32 páginas)
Lote: UDLLC0

ISBN 978-85-5609-016-0

FSC1405564

UNIVERSO DOS LIVROS

Volume 1

O LIVRO DOS
APÓSTOLOS

Bartolomeu
Tiago, o Menor
André

UNIVERSO DOS LIVROS